Vamos a leer sobre...
Cristóbal Colón

A Gina, gran editora y amiga
—K. W.

A Jon, por las proezas del hemisferio
derecho de su cerebro
—C. V. W. and Y.-H. H.

Los editores agradecen el
asesoramiento de Keith Pickering.

Originally published in English as
Scholastic First Biographies: Lets Read About...Christopher Columbus

Translated by Carmen Rosa Navarro.

ISBN: 0-439-40983-7

12 11 10 9 8 7 6 5 4 3 2 1   2 3 4 5 6 7/0

Printed in the U.S.A.   24

First Scholastic Spanish printing, September 2002

Primeras Biografías™
Scholastic

Vamos a leer sobre...
Cristóbal Colón

por Kimberly Weinberger

Ilustrado por Cornelius Van Wright
y Ying-Hwa Hu

SCHOLASTIC INC. Cartwheel
·B·O·O·K·S·®

New York   Toronto   London   Auckland   Sydney
Mexico City   New Delhi   Hong Kong   Buenos Aires

Cristóbal Colón nació en Italia
hace más de 500 años.

Colón vivía cerca del mar en una ciudad
llamada Génova. Le encantaba
contemplar los barcos que iban y venían.
¡Tenía tantas ganas de navegar en ellos!

Cuando era pequeño, trabajaba
con su padre en los telares, pero
su sueño era vivir en el mar.

Cuando cumplió 14 años este sueño se hizo realidad.

Consiguió un trabajo como ayudante en un barco y muy pronto se convirtió en un verdadero hombre de mar.

Colón disfrutaba de su nueva vida.
Viajaba mucho y visitó muchas
ciudades.
Oía hablar a la gente de lugares
lejanos en los que había grandes
riquezas.
¿Y qué lugar era el más fabuloso?
¡Las Indias!

Las Indias eran tierras en las que había
mucho oro y especias, pero para llegar
hasta allí había que atravesar montañas
y desiertos peligrosos.
¡Entonces a Colón se le ocurrió una idea
brillante!

Todo el mundo sabía que para llegar a las
Indias había que recorrer tierras muy
lejanas en dirección este.
A Colón se le ocurrió que también se
podía llegar allí navegando hacia el oeste.

Decidió hacer algo que parecía imposible:
¡cruzar el Gran Océano de Occidente!

Los Reyes de España, Isabel y
Fernando, accedieron a pagar su viaje.
En otros países la gente pensaba que
Colón estaba loco y que nunca lograría
cruzar el océano.
Colón prometió regresar con riquezas
para España.
El 3 de agosto de 1492 se hizo a la mar.

Colón emprendió su viaje con tres cara-
belas: la Pinta, la Niña y la Santa María
y una tripulación de unos 100 hombres.
Navegaron durante muchas semanas
por el océano solitario.

La tripulación de Colón tenía miedo y estaba agotada.

¿Conseguirían llegar a tierra firme algún día?

¡Sí!

El 12 de octubre de 1492 divisaron una isla verde y soleada.

¡Por fin habían llegado a las Indias!

¿Pero eran realmente las Indias?

Cuando desembarcaron los recibió
gente amable.
Los nativos nunca habían visto gente de
piel blanca.

Tampoco habían visto gente
con tanta ropa.
¡Creyeron que Colón había
caído del cielo!

Colón llamó indios a los habitantes
de la isla.
Les regaló cascabeles y ellos le
regalaron fruta, papagayos y ovillos
de algodón .
"¿Pero dónde estará el oro?", se
    preguntaba Colón.

Colón clavó la bandera de España
en la isla. Pensaba que a partir de
ese momento, las tierras pertenecían
a ese país.

No les preguntó a los habitantes si
estaban de acuerdo.

Hoy sabemos que Colón se equivocó.
En lugar de encontrar una nueva ruta a
las Indias, había encontrado el Nuevo
Mundo.

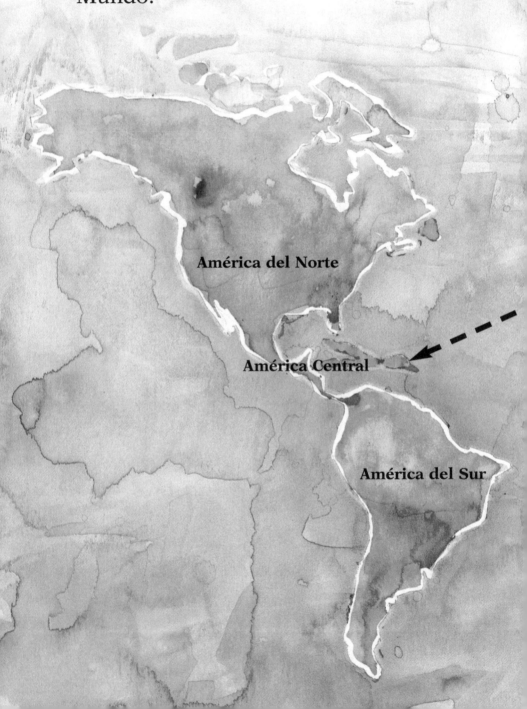

América del Norte

América Central

América del Sur

¡Claro que para los que vivían allí
no era nuevo!
Esas tierras se llaman ahora América
del Norte, América Central y América
del Sur.

aña

Colón nunca llegó a encontrar todo el oro que quería.
Hoy lo recordamos como un hombre de mar muy valiente ¡y le rendimos homenaje por su equivocación!